Anaïs Vaugel

Laurent tout seul

lutin poche de l'école des loisirs

11, rue de Sèvres, Paris 6e

C'était l'été, et il n'y avait plus école.
Laurent jouait tout seul dans la cuisine ;
il jouait au tracteur, il jouait à la pomme,
il jouait à lapin-poussette.
Mais il s'ennuyait, parce que tout ça,
c'était des jeux de bébé.

L.L

« Maman, laisse-moi jouer dehors. »
« Bon », dit maman. « Après tout,
tu es grand maintenant. Joue dehors,
mais ne dépasse pas la barrière. »

Dehors, Laurent lapin cueillit une herbe,
il trouva un escargot séché.
De-ci, de-là, il trotta jusqu'à la barrière…
Et un tout petit peu plus loin.

« C'était bien, dehors ? »
« Oui », dit Laurent. « J'ai été jusqu'à la barrière,
et un tout petit peu plus loin. »
Maman soupira.
« Après tout, tu es grand maintenant.
Mais ne t'aventure pas derrière le châtaignier. »

Dehors, Laurent lapin récolta trois jolis cailloux et un bâton tordu. Il coursa une araignée jusqu'à la barrière. Il courut tout seul jusqu'au châtaignier, et un tout petit peu plus loin.

Quand maman lapin lui demanda
si c'était bien dehors, il lui dit que oui,
qu'il était allé au châtaignier et que,
demain, il irait à la rivière.
« Sois prudent, mon lapin », dit maman.
Laurent lui donna un baiser :
« Tu sais, je suis grand maintenant. »

Le lendemain, il alla droit
à la rivière ; sous les arbres,
il faisait sombre et frais.
D'ici on ne voyait plus
la maison, alors Laurent
sauta la rivière et partit
en voyage.

Le jour finissait. « Comme c'est beau ! D'habitude,
à la maison, c'est l'heure de se brosser les dents. »
Et il se sentit fier de son idée de voyage.

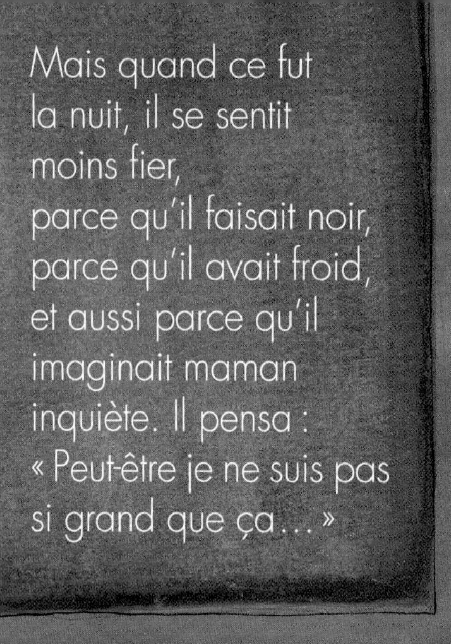

Mais quand ce fut
la nuit, il se sentit
moins fier,
parce qu'il faisait noir,
parce qu'il avait froid,
et aussi parce qu'il
imaginait maman
inquiète. Il pensa :
« Peut-être je ne suis pas
si grand que ça… »

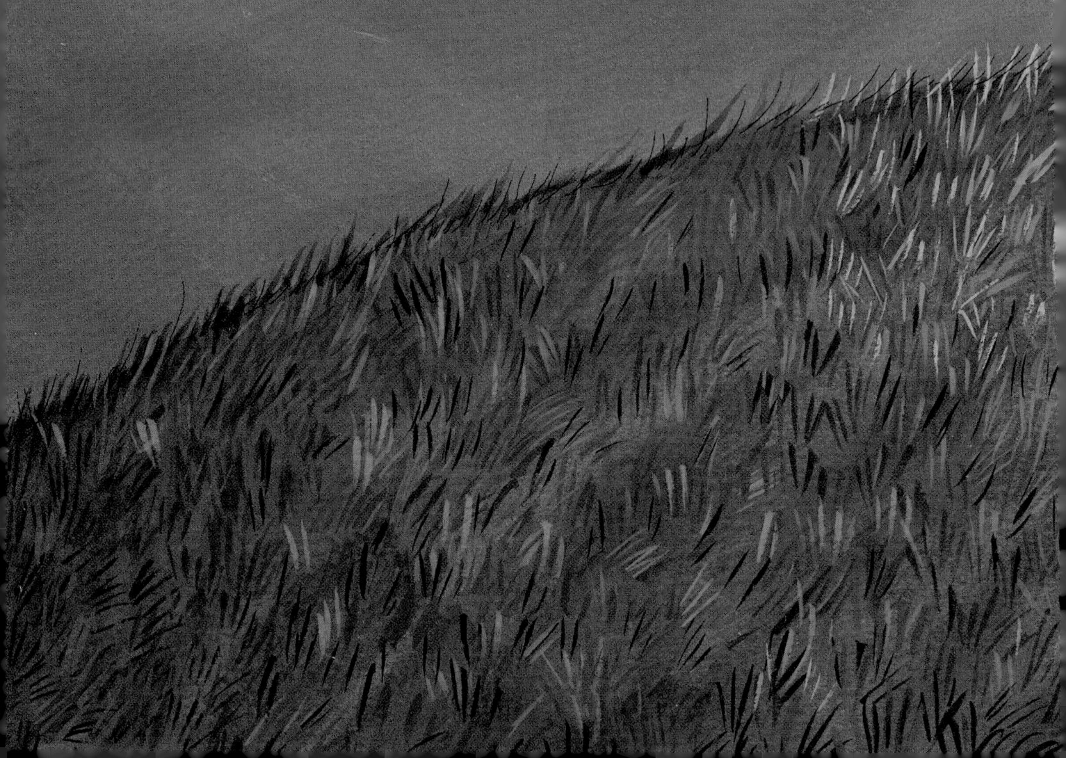

Quand Laurent s'éveilla, le ciel était si clair, si vaste que ça aurait été triste de faire demi-tour. « J'écrirai à maman », pensa-t-il. « Demain sans faute. »

C'était midi.
Le soleil chauffait les pierres,
et les pierres chauffaient les pattes
de Laurent lapin. Il commençait à être
fatigué du voyage, mais quand on est
un grand, on ne peut pas changer
d'avis toutes les cinq minutes.

Heureusement, après
un virage, le chemin
s'arrêta tout seul
dans une jolie vallée.
Là, Laurent croqua
des glands du chêne,
et se brossa les dents
avec un bâtonnet.
Encore une fois,
c'était le soir qui tombait.
« Dommage », pensa-t-il,
« qu'on soit si seul
quand on voyage. »

Au réveil, il eut une idée, une idée
de grande fête. Sur des feuilles, il écrivit :
« Venez tous à ma fête, demain
dans la vallée. Signé Laurent. »
Et il écrivit cette lettre
deux cent vingt-neuf fois, parce qu'il
connaissait deux cent vingt-neuf lapins.
Il écrivit aussi une lettre spéciale
pour sa maman :
« Je fais un voyage, mais je me suis
arrêté dans la vallée, pour la fête.
Je vais bien, je mange bien,
viens à la fête, maman, s'il te plaît. »

POSTAL

Le jour de la fête dura deux jours
sans soir, à cause de tous les lampions
qui éclairaient la vallée.
« Bon », demanda maman,
« es-tu content, mon grand ? »
Laurent sentit sa gorge un peu sèche,
mais il répondit : « Oui, très content. »

Ensuite, les deux cent vingt-neuf lapins
s'en retournèrent. « Et maintenant ? »
Laurent alluma un feu avec les lampions qui restaient.
Avant la nuit, il vit s'approcher une silhouette.
C'était une lapine, ça se voyait de loin
à cause des oreilles et de la robe.

« Est-ce que je peux m'asseoir sur ta pierre ? Je voyage, et je voudrais me reposer. » « Moi aussi, je voyage », dit Laurent. « Et il est bien ton voyage ? » demanda la lapine inconnue. Laurent ne répondit pas.

« Moi », dit la lapine, « je trouve qu'on est trop seul
quand on voyage. »
« Alors tu vas rentrer ? » « Non. »
« Si tu veux, on peut continuer ensemble. »
La nuit était partout maintenant, douce et tiède.
La lapine chuchota : « Oui. Mais on continuera demain. »

Première édition dans la collection « lutin poche » : mai 1998

Loi numéro 49 956 du 16 juillet 1949 sur les publications
destinées aux enfants : mars 1996
Dépôt légal : janvier 2004
Imprimé en France par Aubin Imprimeur à Poitiers